KINDERBUCHKLASSIKER ZUM VORLESEN

Über diese Geschichte . . .

Hättet ihr gedacht, dass Pinocchio schon über 100 Jahre alt ist?
Der Italiener Carlo Collodi ist der Erfinder des hölzernen
Hampelmanns. Er hatte die Idee mit dem Pinienkern – denn
nichts anderes heißt Pinocchio – schon 1881.
Und 1883 ist ein Buch daraus geworden. Über hundert Jahre ist
der kleine Holzbube also schon bekannt! Im Lauf der Zeit wurde er
in ganz Europa berühmt. Woran das wohl liegt? Vielleicht daran,
dass Erwachsene sich immer über Kinderbücher freuen, in denen
das Gute belohnt und das Böse bestraft wird.
Vielleicht aber vor allem daran, dass Kinder gut verstehen können,
wie schwer es ist, brav zu sein, wenn es doch so viele interessante
Dinge auf der Welt gibt. Bestimmt ist »Pinocchios Abenteuer« aber
auch einfach deshalb so beliebt, weil die Geschichten,
die der kleine Holzkerl erlebt, so spannend und lustig sind.

Carlo Collodi

Pinocchios Abenteuer

Neu erzählt von Ilse Bintig

Mit Illustrationen
von Oliver Regener

In neuer Rechtschreibung

5. Auflage 2004
© 2000 by Arena Verlag GmbH, Würzburg
Alle Rechte vorbehalten
Die italienische Originalausgabe erschien unter dem Titel
Le Avventure di Pinocchio
erstmals 1883 bei R. Bemporad & Figlio, Florenz.
Für diese Ausgabe neu erzählt von Ilse Bintig
Umschlag- und Innenillustrationen von Oliver Regener
Gesamtherstellung: Westermann Druck Zwickau GmbH
ISBN 3-401-05140-7

Inhalt

Er soll Pinocchio heißen

Tiefe Dunkelheit lag über der kleinen italienischen Stadt. Nur in dem alten Häuschen des Holzschnitzers brannte noch Licht. Das war ganz und gar ungewöhnlich, denn der alte Geppetto pflegte morgens in aller Frühe aufzustehen und abends zeitig ins Bett zu gehen. Aber heute war in der kleinen Werkstatt alles anders als sonst. Der Holzschnitzer saß noch um Mitternacht vor einem Stück Pinienholz und schnitzte.

Die große Grille, die sonst längst schlafend auf dem Kopf einer hölzernen Marionette hockte, lief unruhig an der Wand hin und her. Und weil sie eine besonders kluge Grille war und sogar sprechen konnte, wunderte sie sich über alle Maßen. Geppetto, der alte Holzschnitzer, saß seit vielen Stunden auf seinem Hocker und schnitzte ein kleines seltsames Männchen. Er hatte schon viele Marionetten geschnitzt, einige von den lustigen Gestalten hingen an den Wänden. Die Grille hätte sich zu gerne mit ihnen unterhalten, doch alle Puppen waren stumm. Kein Wunder, denn ihre Köpfe waren aus Holz und jeder weiß, dass ein Holzkopf weder denken noch sprechen kann. Aber in dem Stück Holz, aus dem Geppetto heute ein lustiges Kerlchen schnitzte, musste ein geheimnisvoller Zauber verborgen sein. Bei jedem Schnitt in das helle Pinienholz hörte die Grille ein leises Stimmchen, und als das Männchen schließlich Arme und

7

Beine hatte, streckte und reckte es sich wie ein Kind, das aus tiefem Schlaf erwacht. Geppetto setzte es auf den Tisch und – welch ein Wunder! – da schlenkerte der Kleine übermütig mit den Beinen. Gespannt sah die Grille zu, wie Geppetto nach dem Farbtopf griff und dem Männchen einen roten Mund ins Gesicht malte. Kaum war er fertig, da öffnete der Kleine den Mund und fing laut an zu lachen. Es klang, als wolle er den alten Meister verspotten. Geppetto griff nach seinem Schnitzmesser und sagte: »Na warte, du Frechdachs! Zur Strafe mache ich dir eine ganz lange Nase und große Kulleraugen.«

Die Grille kroch dem Holzschnitzer vor lauter Neugier auf die Schulter. Sie traute ihren Augen nicht. Das Kerlchen mit der dünnen langen Holznase streckte seinem Schöpfer die Zunge heraus!

Geppetto lachte und nahm das Männchen auf den Arm. Er schaute es liebevoll an und konnte noch nicht recht fassen, dass er ein lebendiges Wesen geschaffen hatte.

»Jetzt habe ich endlich ein Söhnchen«, strahlte der Alte. Er strich ihm zärtlich über den Kopf. »Einen kleinen Jungen habe ich mir ein Leben lang gewünscht.« Er überlegte einen Augenblick, dann sagte er lachend zu dem zappeligen Männchen: »Weißt du, ich werde dich Pinocchio nennen. Das ist ein Name, der Glück bringt.«

Der kleine Sohn hopste vor Vergnügen auf dem Arm seines Vaters auf und ab. Es sah so aus, als hätte er nur Unsinn in seinem kleinen Holzkopf. Er griff in Geppettos Haare und hielt eine Perücke in der Hand. Da jauchzte er vor Vergnügen und warf die Perücke in hohem Bogen durch die Werkstatt mitten in die Sägespäne. Der alte Holzschnitzer stellte das Männchen auf die Erde und drohte mit dem Finger. Aber der

Kleine machte sich nichts daraus und tanzte mit seinen Schlenkerbeinen übermütig herum. Dann blieb er vor Geppetto stehen und schrie: »Ich habe Hunger.«

Der Alte ging in einen Nebenraum, um etwas Essbares für den Kleinen zu suchen.

Pinocchio schaute sich unterdessen neugierig in der Werkstatt um und plötzlich entdeckte er die Grille.

»Wer bist du denn?«, platzte Pinocchio heraus.

»Zirp, zirp, zirp! Ich bin die sprechende Grille. Ich wohne schon hundert Jahre in diesem Haus.«

»Dann wird es höchste Zeit, dass du verschwindest«, schrie das Männchen. Als die Grille nicht antwortete, drohte er: »Du musst tun, was ich sage, denn ich bin ein richtiger Junge.«

Die Grille schüttelte den Kopf: »Nein, das bist du noch lange nicht. Wenn du ein richtiger Junge werden willst, musst du noch viel lernen.«

»Hahaha!«, lachte Pinocchio und tippte sich mit dem Finger an die Stirn. »Was sagst du da? Lernen soll ich? Das fehlte mir gerade noch!«

»Dann bleibst du eben ein Leben lang ein Holzkopf«, sagte die Grille und kroch in die dunkelste Ecke der Werkstatt.

Der Ausreißer muss leiden

ls die große, kunstvoll geschnitzte Wanduhr sechsmal schlug, richtete sich Geppetto in seinem Bett auf und schaute sich verschlafen um. Hatte er wirklich einen Sohn? Oder war alles nur ein schöner Traum gewesen? Aber dann fiel sein Blick auf Pinocchio, der fest schlafend in einem Korb mit Sägespänen lag. Mit einem Satz sprang Geppetto aus dem Bett und rief: »Pinocchio, wach auf! Du musst in die Schule gehen.« Und er erzählte Pinocchio von der Schule und von den Kindern, die alle dort hingehen, um zu lernen.

Pinocchio rührte und rappelte sich nicht, obwohl er genau gehört hatte, was sein Vater gesagt hatte. In die Schule gehen? Lernen? Nein. Nie und nimmer. Er beschloss, die erste Gelegenheit zu nutzen, um auszureißen.

Als sein Vater ihn schließlich rüttelte und schüttelte, schlug er die Augen auf und sprang hoch.

»Ich werde jetzt beim Bäcker ein Brot holen, damit du nicht hungrig in die Schule gehen musst«, erklärte Geppetto und verließ das Haus.

Als er mit einem Brot unter dem Arm wieder zurückkam, rief er: »Pinocchio! Komm her! Es gibt etwas zu essen.«

Aber es kam keine Antwort.

»Pinocchio, wo steckst du?«, rief der Alte.

Geppetto suchte seinen kleinen Sohn in allen Ecken, weil er

glaubte, der Bengel triebe wieder einen Schabernack mit ihm und hätte sich irgendwo versteckt. Aber bald merkte Geppetto, dass Pinocchio weggelaufen war.

»Wo mag er nur sein? Er wird bestimmt verhungern«, jammerte er vor sich hin und machte sich schwere Vorwürfe, weil er die Tür nicht abgeschlossen hatte.

Kurz entschlossen griff Geppetto nach dem Brot, das er eben gekauft hatte, und machte sich auf den Weg, um seinen Sohn zu suchen.

Unterdessen spazierte der kleine Schlingel durch die schmalen Gassen des Städtchens, über Wiesen und Felder bis hinaus an den Strand des großen Meeres. Überall gab es etwas zu entdecken. Er jagte hinter den Vögeln her, fing zappelnde Frösche und bunte Schmetterlinge. Die Welt war voller Wunder. Er warf sich auf die Erde und strampelte übermütig mit den Beinen.

»Wie schön ist die Welt!«, jubelte Pinocchio. »Ich werde nie wieder nach Hause zurückgehen.«

Die Stunden vergingen wie im Flug. Aber plötzlich merkte Pinocchio, dass seine hölzernen Beine müde wurden. Und dann meldete sich der Hunger. Und mit dem Hunger kam auch die Reue. Wäre ich doch nicht weggelaufen!, dachte Pinocchio. Erschöpft setzte er sich auf einen Baumstamm. Er sah nicht mehr das Grün der Wiesen und Wälder, hörte nicht mehr das Zwitschern der Vögel und das Quaken der Frösche. Vor seinen Augen tauchte nur noch ein einziges Bild auf: ein großes Brot, innen weiß und weich und außen braun und knusprig. Der Duft stieg ihm in die Nase und das Wasser lief ihm im Munde zusammen.

»Ich Dummkopf«, sagte er laut. Dabei krümmte er sich, weil

sein Bauch, der schlaff war wie ein leerer Beutel, zwickte und knurrte und polterte. Und der Bauch hätte voll sein können bis oben hin mit leckerem, frisch gebackenem Brot!

Schließlich hielt Pinocchio es nicht länger aus. Er stand auf und machte sich schweren Herzens auf den Heimweg.

Wie ein Häufchen Elend erreichte er das Haus seines Vaters. Vorsichtig drückte er auf die Klinke. Die Tür war offen. Ein Glück, dass der Vater zu Hause ist, dachte Pinocchio. Aber als er das Haus betrat, merkte er, dass der Vater nicht da war. Vielleicht ist er weggegangen, um mich zu suchen, schoss ihm durch den kleinen Holzkopf. Aber dann spürte er nur noch seinen knurrenden, hungrigen Magen. Er suchte überall nach dem Brot, das der Vater kaufen wollte – doch so viel er auch suchte, es gab weder einen Vater noch ein Brot. Er durchstöberte alle Schränke, alle Kisten und alle Verstecke. Im ganzen Haus war kein einziger Krümel, den er hätte essen können. Schließlich entdeckte er auf dem Abfall ein Hühnerei. Er stellte schnell die Pfanne aufs Feuer und schlug das Ei hinein. Hoppla, aus dem Ei kam ein kleines Küken heraus! Es breitete die Flügel aus und flog aus dem Fenster auf und davon.

Pinocchio setzte sich auf einen Schemel und begann zu jammern: »Oh weh, jetzt muss ich vor Hunger sterben.«

»Das hättest du auch verdient, weil du deinem Vater davongelaufen bist.«

Pinocchio bekam einen Schrecken. Wer hatte da gesprochen? Er schaute sich ängstlich in der Werkstatt um. Dann entdeckte er die alte Grille und sofort erwachte in ihm wieder der Trotz.

»Was geht dich das an?«, sagte Pinocchio böse. »Hör auf mir Vorwürfe zu machen! Sonst schlage ich dir mal auf deinen alten Grillenkopf.«

Die Grille schien keine Angst vor Pinocchio zu haben. »Du bist und bleibst ein Holzkopf, zirp, zirp, zirp.«

Obwohl es Pinocchio ganz flau im Magen war, entgegnete er: »Du hast keine Ahnung. Ich bin schon fast ein richtiger Junge.«

»Und woher weißt du das?«, fragte die Grille.

»Woher ich das weiß?«, wiederholte Pinocchio laut gähnend. Trotz der Müdigkeit und des Hungers fing er an vor der Grille zu prahlen: »Ich bin ein richtiger Junge, weil ich schon Fröschen die Beine ausreißen kann. Und weil ich schon Vögel aus den Nestern holen kann.«

»Nein, nein«, zirpte die weise Grille. »Ein Junge kann Recht und Unrecht unterscheiden. Wenn du ein richtiger Junge werden willst, musst du drei Bedingungen erfüllen: Du musst ehrlich sein, du musst mutig sein und du musst selbstlos sein.«

»Hu, du fällst mir auf die Nerven mit deinen dummen Sprüchen«, fuhr Pinocchio die Grille an. Dann krümmte er sich wieder vor Hunger.

»Wenn du nicht von zu Hause weggelaufen wärst, bräuchtest du nicht zu hungern«, tadelte ihn die Grille.

Da sprang Pinocchio wütend auf. »Ich kann mir auch allein etwas zu essen besorgen.«

Er lief aus dem Haus geradewegs zum Bäcker, um ein Stück Brot zu erbetteln. Aber der Bäcker hatte sein Geschäft bereits geschlossen. Pinocchio schlich rund ums Haus und versuchte durchs Fenster zu klettern, um sich heimlich ein Brot aus der Backstube zu holen. Aber so viel er auch an den Fenstern rüttelte, sie waren alle fest verriegelt. Von Hunger und Verzweiflung gepackt, hängte er sich schließlich an die Glocke des Hauses und läutete Sturm. Über ihm öffnete sich das Fenster und ein Kopf mit einer Schlafmütze lehnte sich heraus.

»Was willst du zu so später Stunde?«, schrie der alte Mann so laut, dass dem Kleinen der Schrecken in die Glieder fuhr.

»Ich möchte . . . ich möchte ein Stück Brot«, stammelte Pinocchio.

»Na, warte!«, sagte der Mann und verschwand.

Pinocchio, der sich kaum auf den Beinen halten konnte, war voller Hoffnung, endlich etwas zu essen zu kriegen.

Über ihm hörte er die Stimme des Mannes: »Halte die Hände auf!«

Pinocchio streckte die Hände aus – aber oh Schreck! Der Mann schüttete über ihm eine große Schüssel mit Wasser aus.

»Du Lausebengel«, rief der Mann mit der Schlafmütze hinter ihm her. Er nahm an, der Kleine gehöre zu der Sorte von Jungen, die sich ein Vergnügen daraus machen, an den Häusern zu läuten, um den Bewohnern einen Streich zu spielen.

Nass wie ein Pudel, kehrte Pinocchio auf wackeligen Beinen in das Haus seines Vaters zurück. Er legte sich erschöpft in den Korb mit Sägespänen und schlief sofort ein.

Holzköpfe sind schwierige Söhne

ls Pinocchio am nächsten Morgen erwachte, saß Geppetto an seinem Korb.

»Vater!«, schrie Pinocchio, sprang vor Freude auf und hüpfte, sodass dem Vater die Sägespäne um die Ohren flogen. Geppetto nahm seinen Sohn auf den Arm und drückte ihn an sich. Nach der langen, vergeblichen Suche war er spät in der Nacht heimgekehrt und hatte seinen schlafenden Sohn entdeckt. Jeder kann sich denken, dass Geppetto überglücklich war. Jetzt stellte er sein Söhnchen vorsichtig auf den Boden. Aber oh weh! Was war denn das? Die kleinen hölzernen Beinchen knickten ein und Pinocchio fiel um. Der Vater beugte sich besorgt über ihn. »Bist du krank, mein Sohn?«

»Hunger!«, stöhnte Pinocchio. »Hunger!«

»Du armes Kerlchen«, sagte Geppetto. »Du hast sicher nichts zu essen gehabt.«

Pinocchio konnte nur noch den Kopf schütteln. Dann streckte er sich lang auf dem Boden aus.

So schnell hatte Geppetto noch nie den Tisch gedeckt. Es dauerte nicht lange, da saß Pinocchio vor einem herrlich duftenden Brot und ließ es sich schmecken. Langsam kehrten seine Kräfte zurück. Schließlich war sein Bauch voll bis oben hin. Er lehnte sich zufrieden zurück und sagte: »Vater, ich verspreche dir: Ich laufe nie mehr weg.«

Geppetto strahlte. »Vielleicht kannst du heute schon in die Schule gehen. Es wird dir bestimmt Spaß machen, zusammen mit den anderen Kindern zu lernen.«

Pinocchio wollte seinem Vater nicht widersprechen. Er überlegte eine Weile, dann fiel ihm eine Ausrede ein: »Ich kann aber nicht in die Schule gehen, ich habe ja gar nichts anzuziehen. Du musst mir erst etwas kaufen.«

Geppetto machte ein unglückliches Gesicht. »Hör zu, Pinocchio! Ich muss dir etwas Trauriges gestehen. Du hast einen Vater, der so arm ist wie eine Kirchenmaus. Ich habe nicht einen Pfennig, um dir etwas zu kaufen.«

»Nicht schlimm, Vater«, tröstete Pinocchio. »Dann gehe ich eben nicht in die Schule.«

»Nein, nein«, wehrte Geppetto ab. »Ich werde schon etwas finden.«

Er kramte in allen Kästen und Schubladen. Schließlich fand er ein Stück buntes Papier. Daraus machte er für Pinocchio einen Anzug.

Pinocchio streckte ihm seine nackten Füße entgegen. »Soll ich etwa barfuß in die Schule gehen?«

»Warte nur«, lachte der Alte, »dein Vater ist ein großer Erfinder.«

Geppetto griff nach einem Stück Baumrinde und machte daraus ein paar wunderschöne Schuhe.

»Und eine Mütze sollst du auch haben«, versprach er. »Eine Mütze aus weichem Brot. Sie wird dich schön warm halten.«

Weil es keinen Spiegel im Haus gab, beugte sich der Kleine über eine Schüssel mit Wasser und sah sein Ebenbild. Er fand sich sehr schön in seinen neuen Sachen, aber der Gedanke, in die Schule gehen zu müssen, bereitete ihm Bauchschmerzen.

Geppetto jammerte plötzlich laut los. »Oh weh, du hast ja keine Fibel. Und ohne Fibel kannst du wirklich nicht in die Schule gehen.«

»Das macht gar nichts!«, lachte Pinocchio befreit. »Dann gehe ich gleich raus und fange Schmetterlinge.«

Geppetto antwortete nicht. Er saß auf seinem Schemel und grübelte. Nun hatte er endlich einen Sohn, aber er konnte ihm nicht mal eine Fibel kaufen.

Nach einer Weile stand er auf, zog seinen Rock aus, beguckte ihn von oben bis unten, schüttelte ihn tüchtig aus und zog ihn wieder an. Dann sagte er zu Pinocchio: »Ich muss schnell mal in die Stadt gehen, ich bin gleich wieder da. Du kannst unterdessen mit den Marionetten an der Wand Freundschaft schließen.«

Sobald Geppetto das Haus verlassen hatte, stieg in Pinocchio bei dem Gedanken an die Schule wieder der Wunsch auf, zu fliehen. Alles, was er gestern erlitten hatte, war wieder vergessen. Aber der Vater kannte sein Söhnchen schon und hatte vorsichtshalber von außen die Tür abgeschlossen. Voller Wut rüttelte Pinocchio an der Tür und trommelte an die Fensterscheiben. Aber es half nichts, er musste im Haus bleiben. Nach einer halben Stunde sah er von weitem seinen Vater kommen. Pinocchio traute seinen Augen nicht. Der Vater hatte keine Jacke an, und je näher er kam, desto deutlicher sah Pinocchio, dass der Vater in seinem dünnen Hemd fror.

»Was hast du mit deiner Jacke gemacht?«, fragte Pinocchio sofort, als der Vater hereinkam.

»Ach, die Jacke, ja, die Jacke . . .«, stotterte Geppetto, »weißt du, ich brauche sie nicht mehr. Die Jacke ist viel zu warm.« Aber dann lachte er. »Guck mal, was ich hier habe.« Er knöpfte sein Hemd auf und zog eine Fibel heraus. »Hier, mein Söhnchen, jetzt kannst du in die Schule gehen. Es wäre doch schlimm, wenn der Sohn eines armen Holzschnitzers nichts lernen könnte.«

Pinocchio begriff, dass sein Vater die Jacke verkauft hatte. Dieser Gedanke rührte den kleinen Holzkopf. Er schämte sich, dass er noch eben seinen Vater wieder verlassen wollte.

»Ich werde gleich in die Schule gehen«, versprach Pinocchio. »Ich werde ganz tüchtig lernen, dann verdiene ich viel Geld und kaufe dir eine neue Jacke.«

Geppetto kamen vor Rührung die Tränen, er nahm den Kleinen auf den Arm und drückte ihn an sein Herz. Dann gab er seinem Sohn die Fibel und reichte ihm die Hand. »Pass gut auf in der Schule, Pinocchio, und wenn du nach Hause kommst, erzählst du mir, was du gelernt hast.«

Lügen haben lange Nasen

inocchio machte sich auf den Weg. Je näher er an die Schule kam, desto langsamer ging er. Obwohl Geppetto ihn schon früh aus dem Haus geschickt hatte, kam Pinocchio als Letzter ins Schulzimmer. Die Kinder johlten und schrien, als sie den kleinen Holzbuben sahen. Sie zeigten auf seinen Papieranzug und seine Brotmütze und spotteten.

»Was willst du denn hier in der Schule? Du bist doch ein Holzkopf«, schrie ein Schüler und ein anderer rief: »Dem fehlt bloß noch ein Schnurrbart.«

Sofort nahm ein Junge die Kreide und wollte ihm einen Schnurrbart unter die Nase malen. Aber das war Pinocchio zu viel. Er wusste sich nicht anders zu helfen, als dem frechen Jungen so vor das Bein zu treten, dass er laut aufheulte. Jetzt spottete keiner mehr über den Kleinen, denn ein Tritt mit einem Holzbein tut ganz schön weh.

Heute war in der Schule alles anders als sonst. Kein Kind wartete still mit gefalteten Händen auf den gestrengen Lehrer. Alle lachten und redeten noch, als der Lehrer schon längst in der Klasse war. Erst als er sich auf seinen Stuhl setzte, wurde es still im Schulzimmer. Jetzt entdeckte der Lehrer den kleinen Pinocchio. Er reichte ihm die Hand: »Dein Vater hat mir schon von dir erzählt.« Er schaute sich in der Klasse um, überlegte einen Augenblick und sagte dann: »Weil du der Kleinste bist, werde ich dich in die erste Reihe setzen.«

Das gefiel Pinocchio ganz und gar nicht, denn der Lehrer saß nun genau vor ihm. Welchem Schüler gefällt das schon? Es kam Pinocchio so vor, als würde der Lehrer hinter seinem Pult auf dem hohen Podest immer größer und größer werden.

Ach, wäre ich doch ein Junge wie alle anderen, dachte er, ein richtiger großer Junge aus Fleisch und Blut und nicht so ein hölzernes Bübchen.

Noch nie hatte er sich so sehnlichst gewünscht größer zu sein als in diesem Augenblick. Der Lehrer legte ein großes Buch auf das Pult und griff nach seiner Feder. »Jetzt musst du mir noch ein paar Fragen beantworten«, sagte er zu Pinocchio und tauchte die Feder in das Tintenfass.

»Wie heißt du?«

»Pinocchio«, antwortete der Holzbube.

»Und wie heißt dein Vater?«

»Geppetto.«

»Und was ist dein Vater von Beruf?«

»Mein Vater ist ein ganz berühmter Holzschnitzer.« Der kleine Holzbengel drehte sich zu den Schülern um und erklärte triumphierend: »Ja, ein ganz reicher Mann ist mein Vater.«

Kaum hatte Pinocchio den Satz ausgesprochen, da wurde seine Nase um ein ganzes Stück länger.

»Und wo wohnst du?«, fragte der Lehrer.

»Wo ich wohne?« Pinocchio griff verunsichert nach seiner Nase. »Ich wohne . . . ich wohne . . . in einem großen Schloss.«

Oh weh! Es ruckte und zuckte in seiner Nase und schon war sie wieder ein Stück länger.

»Warst du schon in einer anderen Schule?«

Pinocchio zögerte einen Augenblick. Aber dann platzte er heraus: »Ja, in einer ganz großen Schule. In einer ganz großen Stadt.«

Es ruckte und zuckte in seiner Nase und – Bums! Da stieß sie an das Pult, hinter dem der Lehrer saß und schrieb. Der Lehrer hob erschrocken seinen Kopf und sah Pinocchios lange Nase. Die Kinder schrien vor Vergnügen und der Lehrer drohte mit dem Stock, der für unartige Buben auf dem Pult bereitlag.

Als endlich alle still waren, sagte der Lehrer zu den Kindern: »Ihr habt eben gesehen, dass Lügen nicht nur kurze Beine, sondern auch lange Nasen haben.«

Pinocchio fasste sich voller Entsetzen an seine Nase und schluchzte: »Es ist nicht wahr, was ich gesagt habe. Mein Vater ist nicht reich, er ist ganz arm.«

Es ruckte und zuckte in seiner Nase und sie wurde ein Stück kürzer.

»Mein Vater hat auch kein Schloss«, gestand Pinocchio. »Wir wohnen in der Holzschnitzerwerkstatt.«

Es ruckte und zuckte und die Nase wurde noch ein Stück kürzer.

»Und es stimmt auch nicht, dass ich schon in die Schule gegangen bin«, flüsterte Pinocchio mit gesenktem Kopf. Er fasste sich ängstlich an die Nase, die noch einmal ruckte und zuckte. Der kleine Holzbengel atmete erleichtert auf. Die Nase war zwar immer noch lang und spitz, aber es war die alte Pinocchio-Nase, die sein Vater ihm geschnitzt hatte.

Nachdem alle Fragen des Lehrers ehrlich beantwortet waren, saß der kleine Bengel bis zum Schulschluss artig in seiner Bank.

Künstler müsste man sein!

ls Pinocchio sich am nächsten Morgen auf den Weg zur Schule machte, steckte sein kleiner Holzkopf voller guter Vorsätze. Er wollte jetzt immer gut aufpassen und tüchtig lernen. Vielleicht konnte aus ihm doch noch ein richtiger Junge werden.

Als Pinocchio die Schule fast erreicht hatte, hörte er aus einer Querstraße Musik. Er blieb stehen und lauschte. Was für eine schöne Musik!, dachte er. Schade, dass ich in die Schule muss! Als die Trommeln und Pfeifen immer lauter ertönten, erwachte in ihm der große Wunsch, die Musikanten nicht nur zu hören, sondern auch zu sehen.

Nur für ein paar Minuten, dann gehe ich sofort in die Schule, nahm er sich vor. Der Vater hatte ihn ja früh auf den Weg geschickt, so würde er schon nicht zu spät kommen. Ohne noch lange zu zögern, verließ Pinocchio den geraden Weg zur Schule und rannte in die Querstraße. Vor einer hölzernen Bude fand er die Musikanten. Ein Pfeifer mit schwarzen Haaren und einem hochgezwirbelten Bart spielte auf einer Querflöte und ein Mann mit dickem Bauch und fleischigen Armen schlug aus Leibeskräften die große Trommel. Am liebsten wäre Pinocchio auf die Trommel gesprungen und hätte mitgetrommelt. Es zuckte in seinen kleinen Holzbeinen und es dauerte nicht lange, da hüpften und hopsten sie im Takt der Musik. Pinocchio tanzte und tanzte . . . Und die Schule? Ja, die hatte der kleine Holzbengel bei der lustigen Musik vergessen. Als die Musik plötzlich abbrach, drängten viele Zuhörer in die Holzbude.

»Was gibt's denn in der Bude?«, fragte Pinocchio den Jungen, der neben ihm stand.

»Kannst du nicht lesen?« Der Junge zeigte auf die Schrift über der Eingangstür.

»Nein, ich . . . ich kann . . .« Plötzlich fiel Pinocchio die Schule ein. Aber er jagte den Gedanken schnell wieder fort. Schließlich war morgen auch noch ein Tag. Und zu dem Jungen sagte er: »Heute kann ich noch nicht lesen, aber morgen.«

Der Junge grinste.

»Du brauchst gar nicht so dumm zu lachen. Lies mir lieber vor, was da steht!«, sagte Pinocchio.

Der Junge las: »Großes Puppentheater.«

»Was? Puppentheater? Da geh ich rein«, schrie Pinocchio begeistert. Und gleich danach fragte er: »Sag mal, kostet das was?«

»Natürlich, du Dummkopf. Die Puppenspieler wollen doch was verdienen«, antwortete der Junge. »Zwanzig Pfennig kostet der Eintritt.«

»Kannst du mir das Geld leihen?«, fragte Pinocchio hastig. Wenn er ein richtiger Junge gewesen wäre, hätte er bestimmt einen feuerroten Kopf gekriegt. Der Junge wollte ihm aber immer noch kein Geld geben, deshalb fing Pinocchio an zu handeln. Er bot seine Mütze und seinen Anzug zum Kauf an, doch der Junge lachte ihn aus. Pinocchio sah, wie die Leute in das Theater drängten, und plötzlich griff er nach seiner Fibel und streckte sie dem Jungen entgegen: »Hier, meine Fibel. Nagelneu. Für zwanzig Pfennig.«

»Gut! Ich kaufe deine Fibel«, sagte plötzlich ein fremder Mann neben ihm. Er drückte Pinocchio zwanzig Pfennig in die Hand und verschwand mit der Fibel im Gedränge.

Noch immer stand eine lange Schlange vor der Kasse, aber der kleine Pinocchio flutschte den Leuten durch die Beine, bezahlte und stand schließlich voller Erwartung im Zuschauerraum. Er traute seinen Augen nicht. Die Künstler, die auf der Bühne noch probten, waren Holzpuppen wie er. Als er näher kam, sah er, dass sie sich nicht wie er alleine bewegen konnten, sondern von unsichtbarer Hand an langen Schnüren geführt wurden. Langsam füllte sich der Saal und die Probe war zu Ende. Pinocchio sprang auf die Bühne und schrie: »Ich bin da. Pinocchio!«

Seine hölzernen Brüder und Schwestern umarmten ihn und hopsten vor Freude um ihn herum. Alle wunderten sich, dass Pinocchio sich wie die Menschen frei bewegen konnte.

»Du musst uns alles erzählen, was du erlebt hast«, sagte der Harlekin, die größte und bunteste Holzpuppe.

Aber da ertönte schon die Fanfare, die das Puppenspiel ankündigte. Pinocchio hockte sich an den Rand der Bühne und sah dem lustigen Spiel aufmerksam zu.

Als die Marionetten eine Pause machten, unterhielt Pinocchio die Zuschauer mit lustigen Sprüngen und wilden Tänzen. Die Zuschauer klatschten und Pinocchio schrie voller Begeisterung: »Ich werde Künstler, ein ganz großer Künstler! Juchhu!«

Während das Spiel auf der Bühne weiterging, hockte Pinocchio aufgeregt hinter dem Vorhang. In seinem Holzkopf purzelten die Gedanken wild durcheinander: Ich werde Künstler. Alle werden mich bewundern. Alle werden sich die Hälse nach mir ausrecken, wo immer ich auftrete. Und was das Beste dabei ist:

Ein Künstler muss nichts lernen, ein Künstler braucht nicht in die Schule zu gehen, ein Künstler kann gleich viel Geld verdienen . . . Pinocchio war ganz verwirrt vor lauter Glück.

Ohne dass er es gemerkt hatte, war das Spiel zu Ende gegangen. Er erschrak, als plötzlich der Puppenspieler Feuerfresser auf der Bühne stand. Ein Furcht erregender Mann mit einem Bart wie eine Schürze, die bis zu den Knien reichte.

Feuerfresser rief zwei hölzerne Polizisten herbei und sagte: »Ich habe kein Holz mehr, um meinen Hammel zu braten. Bringt mir den kleinen Störenfried, den großen Künstler! Ich will ihn ins Feuer legen. Seine lange spitze Nase wird gut brennen.«

Ehe Pinocchio fliehen konnte, wurde er von den hölzernen Polizisten abgeführt. Als er das Feuer unter dem Hammel sah, schrie er so verzweifelt, dass der Puppenspieler Erbarmen mit ihm hatte. »Na gut!«, sagte Feuerfresser. »Dann werde ich den Harlekin ins Feuer werfen. Einer muss heute dran glauben. Schließlich muss mein Braten gar werden.«

Pinocchio bettelte und flehte: »Verschont den Harlekin, lasst ihn leben!«

Aber Feuerfresser ließ sich nicht erweichen. Er holte den Harlekin, hob ihn hoch und hielt ihn schon über die Flammen – da drängte sich Pinocchio wild entschlossen dazwischen. Er rief: »Dann werft mich in die Flammen! Ich will nicht, dass mein Bruder für mich sterben muss.«

Der Puppenspieler Feuerfresser staunte über den Mut des kleinen Holzbuben und stellte den Harlekin wieder auf die Erde. Er schenkte Pinocchio fünf Goldmünzen für seinen Vater. Und weil er in Wirklichkeit ein weiches Herz hatte, murmelte er vor sich hin: »Na gut, dann werde ich heute meinen Braten eben halb gar essen.«

So richtig auf den Leim gegangen!

inocchio war der Schrecken so in die hölzernen Glieder gefahren, dass er beschloss zu seinem Vater zurückzukehren. In Gedanken malte er sich aus, wie sehr der Vater sich über die Goldmünzen freuen würde. Was konnte man für das Geld alles kaufen! Einen Rock, einen wunderschönen nagelneuen Rock. Nicht so einen einfachen grauen Tuchrock, wie der Vater ihn verkauft hatte. Nein, einen teuren Rock mit silbernen Knöpfen und silberner Stickerei. Und viel Brot konnte Vater jetzt kaufen und Butter und Wurst und Braten.

Pinocchio war in seine Träume versunken, als er plötzlich angesprochen wurde.

Vor ihm standen ein Fuchs und eine Katze, die sich gegenseitig stützten.

»Was ist denn mit euch los?«, fragte Pinocchio.

»Wie du siehst, lieber Pinocchio, habe ich ein gelähmtes Hinterbein«, klagte der Fuchs, »und die arme Katze ist blind.«

»Woher kennst du meinen Namen?«, fragte Pinocchio erstaunt.

»Oh, so einen berühmten Holzbuben kennt man eben«, erklärte der Fuchs.

»Ich habe dich einmal bei deinem Vater gesehen«, platzte die Katze heraus.

»Geppetto kenne ich gut, ich bin ihm erst gestern begegnet. Er lief zitternd vor Kälte durch die Gassen und suchte dich.«

Pinocchio vertraute den beiden Tieren sein großes Geheimnis an. »Ich werde gleich bei meinem Vater sein und ihm einen schönen warmen Rock kaufen.«

Der Fuchs humpelte einen Schritt näher: »Sag bloß, du hast Geld?«, fragte er neugierig.

Pinocchio griff in die Tasche und zeigte seine fünf Goldstücke.

Die Katze riss ihre Augen weit auf, um sie gleich wieder zu schließen. Und der Fuchs tänzelte vor Überraschung auf seinen beiden Hinterbeinen. Pinocchio aber war so voller Stolz, dass er an den beiden Tieren nichts bemerkte, was ihn hätte misstrauisch machen können.

»Hast du Lust, aus einem Goldstück tausend zu machen?«, fragte der Fuchs.

»Wer möchte das nicht!«, antwortete Pinocchio. »Aber wie soll das gehen?«

»Du musst nur mit uns gehen und erst morgen zu deinem Vater zurückkehren«, erklärte der Fuchs.

»Dein Vater wird außer sich sein vor Freude, wenn du ihm so viele Goldstücke mitbringst«, säuselte die Katze.

Wenn einem so ein gutes Angebot gemacht wird, da kann man doch nicht Nein sagen, dachte Pinocchio und ging kurz entschlossen mit. Nachdem sie schon eine Stunde gewandert waren, wollte Pinocchio endlich wissen, wie man aus einer Goldmünze tausend machen kann.

»Warte ab!«, sagte der Fuchs und die Katze wiederholte: »Warte ab! Du wirst staunen.«

Unterdessen kamen die drei Wanderer in das Land der einfältigen Gimpel.

»Wie weit ist es denn noch?«, erkundigte sich Pinocchio.

»Siehst du die Stadt dahinten?«, fragte der Fuchs.

Pinocchio nickte.

»Gleich hinter der Stadt Dummenhausen liegt das Wunderfeld«, erklärte der Fuchs.

»Ja, ja«, quietschte die Katze, »und dann sind wir am Ziel.«

Pinocchio hörte nur das Wort Wunderfeld und platzte fast vor Neugier. »Und was machen wir auf dem Wunderfeld?«

»Sollen wir es ihm verraten?«, fragte der Fuchs mit einem Augenzwinkern die Katze.

Statt der Katze antwortete Pinocchio. »Ja, bitte. Es wird Zeit, dass ihr mir endlich sagt, wie ich das viele Geld verdienen kann.«

»Also gut!«, sagte der Fuchs. »Ich will es dir erklären. Du kommst an das Geld ohne viel Arbeit und Mühe. Du gräbst nur mitten auf dem Wunderfeld ein kleines Loch und legst ein Goldstück hinein. Dann begießt du das Loch mit einem Schuh voll Wasser und streust ein wenig Salz darüber.«

»Und dann? Was ist dann?«, fragte Pinocchio ungeduldig.

»Dann gehst du eine halbe Stunde in die Stadt, und wenn du zurückkehrst, steht auf dem Feld ein Baum, an dem tausend goldene Münzen hängen.«

»Oooooh, das ist . . . das ist ja, das ist ja ein richtiges Wunder«, stotterte Pinocchio.

»Ja, ja, so ist es«, quietschte die Katze. »Deshalb nennen die Leute diesen Ort ja auch Wunderfeld.«

»Du wirst dieses Wunder selbst erleben«, erklärte der Fuchs.

Pinocchio rechnete. »Und wenn ich fünf Goldstücke einpflanze, wachsen dann fünf Bäume mit Goldmünzen?«

»Du kannst ja rechnen«, staunte die Katze.

»Aber nur bis fünf«, gestand Pinocchio.

»Das genügt auch für einen Holzkopf«, kicherte die Katze. »Wenn du fünf Goldstücke vergräbst, wachsen an den fünf Bäumen 5 000 Goldstücke.«

»Oooooh, das ist sicher sehr viel.«

»Seeehr viel!«, stöhnte der Fuchs und verdrehte die Augen.

»Seeeehr viel«, kicherte die Katze und strich sich mit der Pfote genüsslich den Bart. »Du wirst mit einem Schlage reich, ohne arbeiten zu müssen.«

»Ich werde euch eine große Hand voll Goldmünzen schenken«, versprach Pinocchio.

Der Fuchs und die Katze schüttelten energisch den Kopf. »Nein, das werden wir nicht annehmen. Wir wollen nur, dass du glücklich wirst.«

Da fing Pinocchio plötzlich an zu lachen. Er lachte und lachte und wollte gar nicht mehr aufhören. Der Fuchs und die Katze blieben stehen und schauten sich erschrocken an.

»Was gibt es denn da zu lachen?«, fragte der Fuchs misstrauisch.

»Du glaubst uns wohl nicht?«, sagte die Katze ärgerlich.

»Natürlich glaube ich euch«, versicherte Pinocchio noch immer lachend. »Aber ich habe mir gerade vorgestellt, was der Lehrer und die Kinder aus meiner Schule für Augen machen, wenn ich wirklich ein reicher Mann bin und in einem Schloss wohne.«

Pinocchio hätte sehen können, wie dem Fuchs und der Katze dicke Steine vom Herzen fielen, aber er stellte sich nur immer wieder vor, wie herrlich es sein würde, wenn er so viel Geld bekäme.

Unterdessen hatten die drei Wanderer Dummenhausen hinter sich gelassen. Sie durchquerten einen kleinen Wald und standen endlich vor dem Wunderfeld. Es war ein kleiner unbebauter Acker am Rande eines Pinienhaines. Der Fuchs öffnete den Beutel, den er bei sich trug, und reichte Pinocchio eine kleine Schaufel und ein Tütchen mit Salz. »So, und nun kannst du mit deiner Arbeit anfangen. Wir werden uns im Wald ein Plätzchen zum Schlafen suchen. Nach dem weiten Marsch schmerzt mein krankes Hinterbein.«

Pinocchio war ein bisschen enttäuscht, dass der Fuchs und die Katze nicht bei ihm bleiben wollten. Er ließ sich zur Sicherheit noch einmal alles erklären und fing dann an zu graben. Der Fuchs und die Katze schauten noch einen Augenblick zu, dann wünschten sie Pinocchio viel Glück und verschwanden im Wald.

»Danke! Vielen Dank!«, rief Pinocchio hinter den beiden her. Als das Holzbübchen seine fünf Goldstücke vergraben und mit seinem Holzschuh begossen hatte, streute er Salz über die Pflanzstellen. Dann ging er für eine halbe Stunde in die Stadt. Viel lieber wäre er auf dem Feld geblieben und hätte zugesehen, wie die Goldmünzenbäume anfingen zu wachsen, aber der Fuchs hatte ihm eingeschärft, dass er alles genau nach Vorschrift machen müsse.

Die halbe Stunde in der fremden Stadt Dummenhausen kam Pinocchio unglaublich lang vor. Er war so aufgeregt, dass seine hölzernen Beine und Arme klapperten, als schlüge sie ein heftiger Wind gegeneinander.

Endlich war es so weit. So schnell er konnte, lief er zurück zum Wunderfeld. Am Rand des Ackers blieb er stehen und rieb sich die Augen. Wo waren die Bäume mit den fünftausend Goldmünzen, deren Glanz er schon vor sich gesehen hatte? Ob er zu früh zurückgekommen war? Ob er etwas falsch gemacht hatte? Er suchte die Stellen im Boden, die er mit Salz bestreut hatte. Oh weh! Alles, was er fand, waren fünf leere Löcher. Die Goldstücke waren verschwunden.

Ein guter Wachhund ist unbestechlich

Pinocchio hatte nur noch den Wunsch, so schnell wie möglich nach Hause zu kommen. Wieder war er hungrig wie ein Wolf, die wenigen Beeren, die er im Wald fand, vermochten seinen Hunger nicht zu stillen. Als er an einem Weinberg vorbeikam, sah er von weitem herrliche Muskatellertrauben leuchten. Er lief den Berg hinauf, um sich an den reifen Trauben satt zu essen. Das Wasser lief ihm schon im Mund zusammen, da fühlte er plötzlich einen schneidenden Schmerz an beiden Beinen. Er war in ein Fangeisen getreten, das der Bauer aufgestellt hatte. Er wollte ein paar Marder fangen, die bei Nacht seine Hühner stahlen.

Pinocchio jammerte und weinte und zeterte stundenlang, aber keiner hörte ihn. Als die Nacht hereinbrach, wurde er fast ohnmächtig vor Angst und Schmerz.

Plötzlich hörte Pinocchio Schritte. Es war der Bauer, der sehen wollte, ob ein Marder im Fangeisen hängen geblieben wäre.

»Na, sieh mal an!«, rief der Bauer überrascht. »Du bist also der Dieb, der mir nachts meine Hühner stiehlt.«

»Nein, nein«, schrie Pinocchio, »ich hatte Hunger und wollte mir nur ein paar Trauben holen.«

»Wer Trauben stiehlt, der stiehlt auch Hühner«, erklärte der Bauer kurz und bündig und öffnete das Fangeisen. Er griff das

Holzbübchen am Kragen und trug es am Genick nach Hause, so wie man ein Kaninchen trägt.

Auf dem Hof angekommen, sagte der Bauer: »Wir beide werden erst morgen miteinander abrechnen. Weil heute mein Hund Melampo gestorben ist, übernimmst du während der Nacht die Wache.«

Der Bauer legte Pinocchio ein Halsband um, das an einer Eisenkette befestigt war. »Wenn es regnen sollte, kannst du dich in die Hundehütte legen. Sobald du aber merkst, dass Hühnerdiebe kommen, belle so laut, dass ich es höre!«

Der Bauer ging ins Haus und Pinocchio saß zusammengekauert vor der Hundehütte, mehr tot als lebendig vor Hunger und Angst. Schließlich kroch er auf das Lager des Hundes und schlief ein. Gegen Mitternacht wurde er wach, hörte seltsame Stimmen und entdeckte vor der Hundehütte vier Tiere. Zuerst glaubte er, es wären Katzen, aber dann merkte er, dass es Marder waren, deren Lieblingsspeise Eier und junge Hühner sind. Einer der Marder streckte seinen Kopf in die Hütte und flüsterte: »Guten Abend, Melampo!«

»Ich bin nicht Melampo, der Hund ist tot«, sagte Pinocchio.

»Oh, das tut mir Leid! Melampo war ein guter Hund, ein sehr guter Hund«, sagte der Marder.

In der Dunkelheit konnte er das Holzbübchen nicht erkennen. »Dann bist du also der neue Hund des Bauern.«

»So ist es«, antwortete Pinocchio aus der Hütte.

»Ich schlage dir den gleichen Pakt vor, den wir mit Melampo abgeschlossen haben.«

»Und was ist das für ein Pakt gewesen?«, fragte der Holzbube.

»Wir kommen jede Woche einmal hierher und stehlen acht Hühner aus dem Stall. Wenn du dich schlafend stellst, fressen

wir nur sieben Hühner und du kriegst ein fertig gerupftes Huhn als Belohnung.«

»Hat das Melampo auch so gemacht?«, fragte Pinocchio.

»Ja, er war sehr zuverlässig«, erklärte der Marder. «Ich hoffe, auf dich können wir uns auch verlassen.« Als keine Antwort aus der Hütte kam, fragte der Marder: »Haben wir uns verstanden?«

»Nur allzu gut!«, knurrte Pinocchio.

Die Marder fühlten sich sicher und gingen geradewegs in den Hühnerstall, der neben der Hundehütte lag. Sofort lief Pinocchio an seiner langen Kette zum Stall und schlug die Tür zu. Zur Sicherheit schob er noch einen dicken Stein davor und fing dann laut an zu bellen.

Der Bauer sprang wie der Blitz aus dem Bett und erschien mit Nachtjacke und Nachtmütze auf dem Hof. Er ging in den Stall und stopfte die vier Hühnerdiebe in einen Sack.

»Endlich habe ich euch erwischt«, frohlockte der Bauer. »Morgen bringe ich euch zum Wirt in die Stadt. Ich kenne ihn, er wird aus euch bestimmt leckeres Gulasch machen. Eigentlich habt ihr so viel Ehre gar nicht verdient.«

Dann drehte er sich zu Pinocchio um und lobte seine Wachsamkeit. »Ich wundere mich nur, dass mein treuer Melampo die Diebe nicht erwischt hat«, sagte der Bauer.

Pinocchio erzählte zwar von dem Pakt, den die diebischen Marder mit ihm schließen wollten, aber über Melampo sagte er nichts.

»Gut, dass du nicht auf das Angebot der Diebe eingegangen bist«, freute sich der Bauer.

»Das hätte ich nie getan«, sagte Pinocchio. »Ich bin nur ein Holzbube mit vielen Unarten, aber Schmiere stehen für Diebe und mit ihnen unter einer Decke stecken, das würde ich nie und nimmer tun.«

Der Bauer nahm Pinocchio das Halsband ab, führte ihn ins Haus und gab ihm zu essen und zu trinken. Einen Tag und eine Nacht verbrachte Pinocchio im Hause des Bauern und dann machte er sich auf den Weg.

Der Vater hat mich sicher schon überall gesucht, dachte Pinocchio. Es wird Zeit, dass ich nach Hause gehe.

Verspottet, verfolgt und doch gewonnen!

Pinocchio war ausgeschlafen, satt und voller Unternehmungsgeist. Ab und zu sang er ein lustiges Lied, hüpfte, tanzte und winkte den Leuten am Wege zu.

An einer Straßenecke geriet er in eine Schar übermütiger Jungen. Sie grölten: »Eh du, wer bist du denn?«

»Das seht ihr doch«, antwortete Pinocchio keck und wollte weiterlaufen, aber die Jungen stellten sich ihm in den Weg.

Einer klopfte an seinen Kopf und schrie: »Alles Holz!«

Ein anderer Junge lachte: »Ein Holzkopf, der nicht denken kann.«

»Aber laufen kann er und sprechen«, stellte einer fest.

»Und treten! Passt bloß auf, sonst habt ihr eine Beule am Knie«, schrie Pinocchio wütend.

»Angeber!«, riefen die Jungen.

»Halb Kind, halb Kasper und gibt so an!«, sagte der größte der Bande. »Mit dir werden wir schon fertig.«

»Ihr habt keine Ahnung«, schrie Pinocchio. »Ich bin ein ganz außergewöhnlicher Holzbube. Ich bin dabei, ein richtiger Mensch zu werden. Ein Junge. Genauso wie ihr.«

Schallendes Gelächter. Die Jungen griffen nach Pinocchios Armen und Beinen und zerrten ihn hin und her. Plötzlich standen zwei Polizisten mit einem großen Hund vor den Jungen, sie hatten von weitem das Geschrei gehört.

»Na, was ist hier los? Ihr habt wohl Streit miteinander?«

Mit einem Schlag waren alle still und schauten ängstlich auf die Polizisten und die Furcht erregende Bulldogge.

»Der Holzkopf da, der hat angefangen«, rief einer der Jungen.

»Ja, der war's!«, schrien alle und zeigten auf Pinocchio.

Genau in diesem Augenblick riss der Wind dem Pinocchio die Mütze vom Kopf. Als er hinterherrennen wollte, griff einer der Polizisten nach dem Arm des Holzbübchens.

»Meine Mütze!«, rief Pinocchio. »Die hat mir mein Vater geschenkt.«

»Na, dann hole sie dir!«, sagte der Polizist.

Pinocchio lief zu seiner Mütze, hob sie auf, nahm sie zwischen die Zähne und ergriff die Flucht. Wütend schickten die Polizisten den Hund hinter ihm her.

Pinocchio schaute sich um und sah die große Bulldogge mit den gefletschten Zähnen. Sie kam mit großen Sprüngen näher und näher. Pinocchio schlug Haken wie ein Hase, seine Beine schlotterten und die Zunge klebte am Gaumen.

Der riesige Hund verfolgte ihn durch die ganze Stadt bis an den Strand. Pinocchio spürte hinter sich schon den heißen Atem des Hundes – da sprang er wie ein Frosch ins Meer hinein. Die Bulldogge rannte wutentbrannt hinterher. Das Holzbübchen schwamm auf dem Wasser und sah voller Angst auf den Hund. Aber welch ein Glück! Die Bulldogge konnte nicht schwimmen. Sie strampelte hilflos mit den Beinen und jaulte ängstlich. Pinocchio trieb sitzend auf dem Wasser und sah die verzweifelten Versuche des Tieres, sich über Wasser zu halten. In höchster Not schrie der Hund: »Hilf mir! Ich ertrinke.«

Pinocchio, der ein gutes Herz hatte, schwamm zu dem Tier

und zog es mit aller Kraft an den Strand. Der Hund hechelte und streckte erschöpft alle viere von sich. Nach einer Weile stand er mühsam auf, schüttelte sich das Wasser aus dem Fell und drehte sich zu Pinocchio um: »Danke! Du hast mich vor dem sicheren Tode bewahrt, obwohl ich dich verfolgt habe. Du bist ganz schön mutig. Leb wohl!«

Dann trottete die Bulldogge langsam mit gesenktem Kopf den Weg zurück.

Pinocchio war vorsichtshalber wieder ins Wasser gesprungen und schaukelte auf den Wellen des Meeres. Das tat gut nach der aufregenden Verfolgungsjagd und der anstrengenden Rettung des Hundes.

Pinocchio schaute in den Himmel über sich und fühlte sich so wohl wie noch nie in seinem Leben. Woher kam das nur? Er fasste sich an den Kopf, aber der war immer noch aus Holz. Trotzdem hatte Pinocchio das Gefühl, ein bisschen mehr Mensch geworden zu sein.

Von einem Freund
lässt man sich gern verführen

ach einem weiten Weg kam Pinocchio wieder zurück in das Haus des Holzschnitzers. Die Tür war offen, der Tisch gedeckt, aber der Vater war nicht da. Von den Nachbarn erfuhr Pinocchio, dass der Vater losgezogen war, um ihn zu suchen. Ohne seinen kleinen Sohn wolle er nicht nach Hause kommen, erzählte eine alte Frau.

Kurz entschlossen ging Pinocchio in die Schule. Der Lehrer und auch die Schüler freuten sich, als sie den kleinen Holzbuben wieder sahen. Pinocchio versprach dem Lehrer fleißig zu lernen, denn er wollte nicht ewig ein Holzkopf bleiben. Er hielt sein Versprechen und der Lehrer schenkte ihm eine Fibel. So konnte Pinocchio bald ein paar Wörter lesen und schreiben. Der Lehrer lobte ihn jeden Tag. »Wenn du weiter so fleißig bist, wirst du bald alle lustigen Geschichten in der Fibel lesen können.«

Ganz anders war das bei einem Schüler, der Romeo hieß. Weil er lang und spindeldürr war wie der Docht einer Kerze, nannten ihn alle Kerzendocht. Er war der faulste und frechste Junge der Schule und hatte nichts als Unsinn im Kopf. Er drückte sich vor der Arbeit, wo er nur konnte, und wurde jeden Tag vom Lehrer getadelt. Es war seltsam, aber Pinocchio fühlte sich zu diesem Jungen hingezogen. Sein großer Wunsch war, Kerzendocht als Freund zu gewinnen.

Eines Tages wollte Pinocchio seinen Schulkameraden zu Hause besuchen, aber er traf ihn nicht an. Schließlich fand er ihn im Torbogen eines Bauernhauses.

»Was machst du denn hier?«, fragte Pinocchio.

»Ich warte, bis es dunkel wird, und dann fahre ich weg«, erklärte Kerzendocht.

»Und wohin?«

»In das schönste Land dieser Erde«, verriet Kerzendocht. »Wenn du Lust hast, kannst du mitfahren.«

Pinocchio schüttelte den Kopf. Dennoch fragte er neugierig: »Wie heißt denn das Land?«

»Es ist das Spielzeugland. Komm mit, Pinocchio! Wir werden viel Spaß haben.«

»Nein«, sagte Pinocchio. »Ich will auf meinen Vater warten und jeden Tag in die Schule gehen.«

»Schön dumm!«, erklärte Kerzendocht und tippte sich an die Stirn. »Wenn du mitfährst, musst du nie mehr in die Schule gehen und keine Schularbeiten mehr machen. Die Woche besteht nur noch aus Sonntagen und die großen Ferien beginnen am ersten Januar und enden am letzten Tag im Dezember.«

»Und was willst du in dem Land den ganzen Tag machen?«, fragte Pinocchio.

»Spielen und die Zeit vertrödeln. Das ist doch das Schönste, was es gibt.«

Pinocchio antwortete nicht. Der Gedanke, in solch einem Land zusammen mit Kerzendocht leben zu können, war verlockend.

»Fährst du ganz allein?«, fragte Pinocchio.

Kerzendocht lachte. »Hundert Kinder fahren mit. Alle klugen aus diesem Land. Die dummen bleiben zu Hause.«

Es wurde dunkel und Pinocchio hockte noch immer bei Kerzendocht in der Toreinfahrt. Kerzendocht redete und redete. Er malte in den schönsten Farben das Leben im Spielzeugland aus, in dem es keine Arbeit, sondern nur Vergnügen und Spaß gab. Pinocchio wollte gerade aufspringen, um nach Hause zu gehen, da hörte er einen Trompetenstoß und sah in der Ferne ein Licht aufleuchten.

»Da ist der Wagen«, schrie Kerzendocht. »Also, entscheide dich! Willst du mitfahren oder nicht?«

Kerzendocht sah, dass Pinocchio noch zögerte. »Na gut, bleib bei den Dummen! Grüß mir den Lehrer! Und sag ihm, ich würde ohne Schule ein herrliches Leben führen.«

Der Wagen hielt und Pinocchio hörte die Stimmen von vielen lachenden Jungen.

Als Kerzendocht auf den Wagen kletterte und jubelnd begrüßt wurde, konnte Pinocchio nicht mehr widerstehen. »Halt! Ich komme mit!«

Ohne Schule lebt es sich herrlich

Auf dem Wagen standen die Jungen dicht gedrängt wie die Sardinen in einer Dose, dazwischen Pinocchio und Kerzendocht. Keiner schimpfte oder murrte auf dem weiten Weg durch die Nacht. Nur die zwölf Esel, die den Wagen zogen, stießen immer wieder klagende Laute aus. Sie wurden angetrieben von einem seltsamen, kleinen dicken Mann mit einem fetten, runden Gesicht, das schimmerte wie eine Apfelsine. Sein Mund schien immer ein wenig spöttisch zu lächeln. Am auffallendsten aber war seine säuselnde, einschmeichelnde Stimme, mit der er hin und wieder die Jungen beruhigte.

Im Morgengrauen war der Kutscher endlich am Ziel und die Kinder und die Esel wurden von ihren Strapazen erlöst. Der kleine Mann führte sie durch ein hohes Tor in das Spielzeugland und dort hielt er eine richtige Begrüßungsrede: »Ihr seid angekommen im glücklichsten Land dieser Erde. Hier gibt es keine Gesetze, keine Polizei, keine Vorschriften und keine Strafen. Und was das Wichtigste für euch ist: Hier gibt es keine Schulen. Niemand verlangt etwas von euch. Ihr müsst weder rechnen noch schreiben noch lesen und niemals mehr Schulaufgaben machen. In diesem Land habt ihr endlich die Freiheit, die ihr euch wünscht. Ihr könnt nach Herzenslust den ganzen Tag lang Unsinn treiben. Ihr könnt toben und schreien, zanken und streiten, singen und lachen. Ihr könnt essen und trinken, was ihr wollt. Es gibt alles in Hülle und Fülle: süße Pfannkuchen, fruchtiges Eis, Spagetti mit Tomatensoße . . .«

Kerzendocht stieß Pinocchio übermütig in die Rippen: »Na, was habe ich gesagt?«

»Die reine Wahrheit!«, lachte Pinocchio. »Gut, dass ich auf dich gehört habe!«

Die beiden Jungen zogen los und fanden alles genauso vor, wie es der kleine Mann gesagt hatte. Das Land war voller Kinder im Alter von acht bis zwölf Jahren. Einige spielten mit Bällen, andere fuhren Rad. Eine Gruppe kleiner Jungen sah einem Theaterspiel zu. Auf vielen Plätzen standen Buden mit Spielzeug, das man einfach mitnehmen konnte. Kerzendocht und Pinocchio liefen zuerst an die Eisbuden, wo es alles gab, wovon ein Kind nur träumen konnte: Vanilleeis, Schokoladeneis, Himbeereis, Erdbeereis, Bananeneis . . . Dann ging es zu den Ständen mit den Süßigkeiten. Die beiden Jungen griffen mit beiden Händen zu. Sie aßen Kuchen, Torte, Plätzchen, Bonbons und Schokolade. Sie aßen und aßen, bis ihre Bäuche voll waren fast bis zum Platzen. Überall standen Zelte, in denen Musik gemacht oder Theater gespielt wurde. An vielen Stellen hingen Plakate, auf die zwölfjährige Jungen etwas geschrieben hatten. »Wier wolen keine Schuhle meer« oder »Nih meer Matte Matick!«.

Aber das konnten Kerzendocht und Pinocchio noch nicht lesen und hier im Spielzeugland brauchten sie es auch nicht zu lernen.

Die beiden Jungen wussten nicht, welchen Spaß sie sich zuerst oder zuletzt leisten sollten: eine Fahrt auf dem Karussell,

ein Besuch im Zirkus, im Theater, im Musikzelt, in der Würfelbude, in der Schießbude oder in der Zauberhöhle. Weil die Vergnügungen umsonst waren, genossen Kerzendocht und Pinocchio alles in vollen Zügen. Die Stunden vergingen wie im Flug. Abends fiel Pinocchio seinem Freund Kerzendocht um den Hals vor lauter Glück.

Der grinste und sagte: »Du siehst also endlich ein, dass ich Recht hatte. Du warst schon ein echter Dummkopf, als du deine Zeit mit Lernen vergeuden wolltest. Dass du von der Last der Schule befreit bist, verdankst du nur mir.«

»Ja, das stimmt. Nur ein ganz guter Freund konnte mir einen solchen Gefallen tun«, meinte Pinocchio. Er zögerte kurz, dann platzte er heraus: »Soll ich dir mal verraten, was der Lehrer zu mir gesagt hat?«

Kerzendocht nickte.

»Gib dich nicht mit dem Kerzendocht ab! Das ist und bleibt ein Spitzbube. Der kann dich nur zu etwas Schlechtem verführen.«

»Da siehst du, wie der Lehrer lügt«, stellte Kerzendocht fest.

Pinocchio lachte laut auf: »Der Lehrer hat Glück, dass er kein Holzbube ist wie ich, dann wäre seine Nase bei den vielen Lügen schon ellenlang geworden.«

»Stimmt!«, lachte Kerzendocht, holte sich Feder und Papier und malte den Lehrer mit einer langen spitzen Nase, die bis in den Himmel reichte.

Die beiden Jungen schrien vor Lachen und wurden es nicht leid, sich immer wieder den langnäsigen Lügenlehrer vorzustellen.

So vergingen mit Spielen und Scherzen die Stunden, die Tage, die Wochen . . .

Ein Esel kommt selten allein

ünf Monate waren vergangen und Pinocchio dachte jeden Tag nur an Spiel und Spaß. Er hatte nichts gelernt, und was er einmal gekonnt hatte, hatte er längst wieder vergessen. Eines Morgens wurde Pinocchio wach und wollte sich gerade noch einmal umdrehen, um bis zum Mittag weiterzuschlafen, da juckte es plötzlich in seinen Haaren. Er griff an den Kopf und richtete sich erschrocken auf. Seine Ohren fingen an zu wachsen, sie wurden länger, immer länger. Pinocchio sprang aus dem Bett und lief hinüber zu Kerzendocht. Der lag noch schlafend im Bett, nur der Kopf guckte aus den dicken Kissen hervor. Und dieser Kopf – Pinocchio konnte es nicht fassen –, dieser Kopf hatte Eselsohren!

»Kerzendocht, wach auf!«, schrie Pinocchio. Er schüttelte und rüttelte seinen Freund.

»Was ist denn los?«, fragte Kerzendocht verschlafen.

»Du hast Eselsohren«, schrie Pinocchio.

Kerzendocht griff sich an den Kopf und wurde bleich. Aber dann schaute er Pinocchio an und versuchte zu grinsen. »Und du? Guck dich mal an! Du hast selber Eselsohren.«

»Ich weiß«, murmelte Pinocchio mit gesenktem Kopf.

Kerzendocht krabbelte aus dem Bett und fuhr Pinocchio an: »Mach nicht so ein Theater wegen der Eselsohren! Mit gro-

ßen Ohren können wir die Musik noch lauter hören. Ist doch gut!«

Kaum hatte er das gesagt, da entdeckte Pinocchio, dass seinem Freund ein Schwanz wuchs. Ein richtiger langer Eselsschwanz.

Kerzendocht versuchte zu lachen und zu spotten. »Ach, was soll's? Mir macht das nichts aus.«

Aber Pinocchio entging nicht, wie erschrocken Kerzendocht in Wirklichkeit war, wenn er auch lustige Sprünge machte und dabei mit dem Eselsschwanz wedelte.

Plötzlich erschrak Pinocchio noch einmal gewaltig. Auch er hatte nicht nur Eselsohren, sondern auch einen Eselsschwanz.

»Lass den Kopf nicht hängen!«, sagte Kerzendocht. »Die Hauptsache ist, wir haben unser Vergnügen. Und das können wir hier doch weiter haben, auch mit Eselsohren und Eselsschwanz!«

»Ich schäme mich«, klagte Pinocchio und legte die Hände vors Gesicht.

Kerzendocht überlegte einen Augenblick und dann machte er einen Vorschlag: »Wir setzen einfach unsere Pudelmützen auf und ziehen Mäntel an. Dann kann keiner unsere Eselsohren und Eselsschwänze sehen.«

Pinocchio war ein bisschen getröstet. »Vielleicht ist das nur eine Krankheit und die Ohren und die Schwänze fallen wieder ab.«

»Ja, so wird es sein«, stimmte ihm Kerzendocht zu. »Wir machen uns einfach keine Sorgen, dafür ist es hier im Land doch viel zu schön. Komm, lass uns tanzen!«

Als sie die ersten Schritte gemacht hatten, konnten sie beide plötzlich nicht mehr aufrecht stehen. An Händen und Füßen wuchsen Hufe und über dem Rücken breitete sich ein graues, behaartes Fell aus. Pinocchio und Kerzendocht liefen auf allen vieren im Kreis umher.

»Oh weh, oh weh, was geschieht mit uns?«, jammerte Pinocchio und Kerzendocht schrie verzweifelt: »Hilfe! Hilfe!!«

Zu ihrem Entsetzen stellten die Unglücklichen fest, dass aus ihren Gesichtern Eselsschnauzen wuchsen.

Pinocchio und Kerzendocht bäumten sich auf und riefen: »Bitte, bitte, helft uns doch! Man hat uns betrogen . . . Iah-iah-iah-iah . . .«

Jetzt hatten die beiden auch ihre Stimmen verloren. Sie waren zu Eseln geworden, die nur noch »Iah« schreien konnten.

Verführt, verraten und verkauft!

Macht auf!«, polterte eine Stimme vor der Tür. »Pinocchio! Kerzendocht! Macht die Tür auf!«

»Iah-iah-iah«, ertönte es aus dem verschlossenen Zimmer. Da wurde mit einem Fußtritt die Tür gewaltsam geöffnet und vor den beiden Eselchen stand der Kutscher, der die Kinder hierher gefahren hatte.

Der kleine Mann mit dem Gesicht wie eine Apfelsine rieb sich die Hände und lachte höhnisch: »Man muss den Dummen einzig und allein die Freiheit lassen, dann suchen sie nur noch ihr Vergnügen und machen sich selbst zu Eseln.«

Der Mann strich den Eseln über den Rücken und sagte: »Schöne Esel seid ihr geworden! Ich werde euch nicht vor meinen Wagen spannen, sondern auf dem Markt verkaufen. Mit euch kann ich ein gutes Geschäft machen. Wie leicht man doch durch Dumme zum Millionär werden kann!«

Mit einem Schlag wusste Pinocchio, welchem Gauner Kerzendocht auf den Leim gegangen war. Der Mann fuhr durch die ganze Welt und sammelte alle Kinder ein, die von Büchern und vom Lernen nichts wissen wollten. Er fuhr sie ins Spielzeugland, wo sie ihre ganze Zeit mit Unfugtreiben und Faulenzen vertrödelten. Ohne je zu lernen, machten sich die Kinder in kurzer Zeit selbst zu Eseln.

Mit dem faulen Kerzendocht hat der Kutscher leichtes Spiel gehabt, dachte Pinocchio. Dann schlug er sich mit dem rechten Vorderhuf gegen die Stirn: Und ich? Ich Dummkopf! Ich habe mich von Kerzendocht verführen lassen. Alle Warnungen des Lehrers habe ich in den Wind geschlagen.

Der kleine dicke Gauner nahm einen Strick aus der Tasche, band ihn Pinocchio um den Hals und zog ihn hinaus. »So, du wirst als Erster verkauft.«

Der Mann brachte Pinocchio sofort auf den Markt. Mit seiner säuselnden, einschmeichelnden Stimme bot er das hübsche Eselchen einem Zirkusdirektor zum Kauf an. »Ein erstklassiges Tier, wild aufgewachsen im Gebirge, deshalb sehr geschickt in seinen Bewegungen, ausdauernd und genügsam. Ich habe bereits festgestellt, dass es sehr lernfähig ist. Sie werden Ihre helle Freude an dem Esel haben, er wird sich besonders leicht dressieren lassen.«

Der Zirkusdirektor glaubte dem Gauner, zahlte die geforderte hohe Summe und nahm das Eselchen mit.

»Der Esel hört übrigens auf den Namen Pinocchio«, rief der Betrüger hinter dem Käufer her.

Der Zirkusdirektor führte Pinocchio in einen Stall neben dem Zirkuszelt und warf ihm eine Hand voll Stroh in die Krippe. Pinocchio nahm das Stroh ins Maul – und spuckte es sofort wieder aus. Jetzt füllte ihm sein neuer Herr Heu in die Krippe, aber auch das schmeckte ihm nicht.

»So ein verwöhnter Esel ist mir noch nie vor die Augen gekommen«, fluchte der Direktor. »Willst du etwa Spagetti und Makkaroni fressen?«

»Iah-iah!«, schrie Pinocchio, weil ihm das Wasser im Munde zusammenlief.

Da griff der Mann zu einer Peitsche und versetzte ihm einen Schlag vor die Beine. »Iah-iah-iah«, jammerte Pinocchio mit schmerzerfüllter Stimme.

»Dir werde ich deine Flausen schon austreiben«, drohte der Zirkusdirektor und schwang seine Peitsche. »Morgen wird für dich der Unterricht anfangen.«

Es begann eine harte Zeit für Pinocchio. Bei Sonnenaufgang wurde er aus dem Stall gezogen und in die Arena gebracht. Hier musste er stundenlang lernen auf den Hinterbeinen Polka und Walzer zu tanzen und über hohe Hürden zu springen. Nie war der Dompteur mit ihm zufrieden. Bei jedem Fehler schlug er ihm die Peitsche um die Ohren, dass ihm Hören und Sehen verging. Am schlimmsten aber war, dass er durch einen Reifen springen musste. Jeden Abend sank Pinocchio todmüde mit schmerzenden Beinen auf sein Strohlager im Stall. Eines Tages lasen die Menschen in der Stadt auf großen Plakaten:

Galavorstellung im Zirkus
Zum ersten Mal mit dem berühmten Eselchen Pinocchio

Schon eine Stunde vor der Aufführung war der Zirkus voll besetzt. Nach einem Fanfarenstoß hielt der Zirkusdirektor eine Lobesrede auf »das berühmteste Eselchen aller Zeiten«. Pinocchio, der fein herausgeputzt mit allerlei buntem Flitterkram mitten in der Arena stand, traute seinen Ohren nicht.

»Pinocchio ist bereits in ganz Europa aufgetreten. Er hat getanzt vor Königen und Fürsten. Die höchsten Preise hat er gewonnen. Heute wird das Eselchen Pinocchio nicht nur tanzen, sondern sogar durch einen Reifen springen.«

Nach der Rede des Direktors begann die Vorführung. Pinoc-

chio tanzte und lief auf Befehl »Schritt«, »Trab« und »Galopp«. Am Ende einer jeden Darbietung verbeugte er sich artig vor dem klatschenden Publikum. Jetzt wurde der Reifen in die Arena gehängt. Wie oft hatte Pinocchio das Springen durch den Reifen schon geübt! Jeden Tag stundenlang. Sein Eselsherz klopfte aber trotzdem bis zum Hals.

Unter dem Zirkuszelt wurde es still. Alle hielten den Atem an, als Pinocchio loslief und ohne zu zögern sicher durch den Reifen sprang. Beifall rauschte auf. »Noch einmal!«, schrien viele Zuschauer. Der Direktor nickte nur und das Eselchen holte wieder zum Sprung aus. Oh weh! Pinocchio blieb mit dem linken Hinterhuf am Reifen hängen, sodass er stürzte. Zwei Männer halfen ihm auf die Beine. Mit gesenktem Kopf verließ das lahme Eselchen das Zirkuszelt. Die Kinder riefen: »Wir wollen das Eselchen sehen«, und als das Eselchen nicht mehr erschien, riefen sie voller Mitleid: »Gute Besserung, Pinocchio! Werde wieder gesund!«

Der Zirkusdirektor hatte kein Mitleid mit dem Eselchen wie die Kinder, er dachte nur an sein Geld. »Was soll ich mit einem lahmen Esel?«, sagte er zu dem Stallknecht. »Bring ihn auf den nächsten Markt und verkaufe ihn!«

Was ist ein lahmer Esel wert?

Stundenlang stand der Stallknecht auf dem Markt und bot Pinocchio zum Kauf an. Aber wer kauft schon einen lahmen Esel? Endlich kam ein Mann und sagte: »Für zwei Silbermünzen will ich ihn mitnehmen. Ich bin ein Trommler und brauche für meine Musikkapelle ein paar neue Musikinstrumente. Aus der dicken Haut des Esels lässt sich gut eine Trommel machen.«

Pinocchio stöhnte laut auf, als er hörte, was aus ihm werden sollte. Eine Trommel! Wie schrecklich!

»Iah-iah-iah«, schrie Pinocchio und es klang wie ein verzweifelter Hilfeschrei. Aber es half ihm niemand. Die Leute gingen achtlos an ihm vorbei. Was ist schon ein lahmer Esel, der um Hilfe schreit? Der Handel war schnell abgeschlossen und der Käufer führte den Esel ab. Pinocchio konnte kaum laufen, das Bein schmerzte und er hatte nicht mehr die Kraft, »Iah« zu schreien. Der Mann zog ihn bis auf die Felsenklippe an der Meeresküste. Von dort wollte der Trommler den Esel ins Wasser werfen, um ihn zu töten. Er band einen schweren Stein an den Hals des Tieres und eine lange Leine an ein Bein, damit er ihn tot wieder herausziehen konnte. Ehe Pinocchio merkte, was mit ihm geschah, bekam er einen Stoß versetzt und stürzte hinab ins Meer. Der Trommler behielt die Leine fest in der Hand und wartete eine Stunde, damit das Eselchen Zeit hatte, zu ertrinken. Dann zog er mit aller Kraft, denn so ein Esel ist schwer. Er zog und zog . . . und plötzlich fiel er nach hinten, weil die Last ganz leicht geworden war. »Verflixt«, fluchte er laut. »Das geht doch nicht mit rechten Dingen zu.«

An seiner Leine hing kein toter Esel, aus dessen Haut er eine Trommel machen konnte, sondern ein kleiner Holzbube! Dem Mann verschlug es die Sprache, er riss vor Staunen Mund und Nase auf, als der Holzbube sich neben ihn setzte.

»Und wo ist der Esel, den ich ins Meer geworfen habe?«, fragte er.

»Dieser Esel bin ich«, antwortete das Holzbübchen lachend.

»Du?«

»Ja, ich!«

»Du bist ein Spitzbube«, schrie der Mann. »Du willst mich wohl zum Narren halten. Ich habe zwei Silbermünzen für den Esel ausgegeben. Du kannst dir doch denken, dass ich das Geld zurückhaben will.«

»Ich kann dir kein Geld geben. Ich bin ein armer Holzbube«, lachte Pinocchio.

»Dann werde ich mit dir auf den Markt gehen und dich als Brennholz verkaufen«, drohte der Mann.

»Bitte! Verkaufen Sie mich ruhig! Mir soll es recht sein«, erklärte Pinocchio.

Ehe der Trommler nach ihm greifen konnte, sprang der Holzbube von der Klippe hinab ins Meer. Er schwamm auf dem Wasser und rief dem Mann zu: »Springen Sie doch hinterher, wenn Sie mich verkaufen wollen.«

Der Mann stand auf den Klippen, gestikulierte mit den Armen und stieß wilde Flüche aus. Pinocchio schwamm ein paar Mal im Kreis umher, winkte mit beiden Händen und rief: »Es gibt außer mir noch andere Esel auf der Welt. Leben Sie wohl!«

Weh dir, wenn Monstro dich verschlingt!

erettet!, dachte Pinocchio und war glücklich. Hier auf dem Wasser konnte ihn keiner mehr einfangen. Er genoss die Ruhe, ließ sich von den Wellen schaukeln und von der Sonne wärmen. Er schaute hinauf in den Himmel und versuchte die kleinen Wolken zu zählen. Aber er kam nur bis fünf, doch am Himmel gab es viel mehr Schäfchenwolken, die er gerne gezählt hätte. Bald werde ich es können, dachte er, denn es stand für ihn fest, dass er schon morgen in die Schule gehen würde. Hoffentlich war der Vater unterdessen heimgekehrt. Wenn er nicht zu Hause sein sollte, würde er sich alle Mühe geben, ihn schnell zu finden. Pinocchio freute sich auf zu Hause und er freute sich auch auf die Schule. Es war eine schreckliche Vorstellung, vielleicht wieder zu einem Esel zu werden. Dann lieber ein Holzbübchen bleiben! Aber noch viel, viel schöner musste es sein, als richtiger Junge in die Schule gehen zu können.

Während sich die Gedanken in Pinocchios Kopf drehten, hatte er gar nicht gemerkt, dass er weit auf das Meer hinausgetrieben war. Er schaute sich um und sah ringsum Wasser, nichts als Wasser. Die Küste war nur noch eine schmale Linie am Horizont.

Was bin ich für ein Träumer!, dachte er. Wäre ich doch eher an

Land geschwommen! Inmitten des tosenden Meeres packte ihn die Angst und er versuchte mit aller Kraft an den Strand zu schwimmen. Aber was war das? Aus dem Wasser tauchte ein Meeresungeheuer auf. Pinocchio durchfuhr ein schrecklicher Gedanke. War das nicht Monstro, der Riesenwal, den alle Menschen an der Küste fürchteten? Pinocchio versuchte auszuweichen, er schwamm schneller, ruderte verzweifelt mit Armen und Beinen. Aber es war alles vergeblich. Der Wal kam geradewegs auf ihn zu. Er riss sein gewaltiges Maul auf und zeigte seine Zähne. Pinocchio spürte schon den heißen Atem des Wals. Dann geriet er zusammen mit Schwärmen von Fischen in den Sog des mächtigen Tieres und wurde in einen dunklen Abgrund gerissen.

Als Pinocchio, der besinnungslos geworden war, endlich wieder zu sich kam, lag er neben einem großen Thunfisch.

»Was bist du denn für ein seltsames Tier?«, fragte der Thunfisch.

»Ich bin gar kein Tier«, sagte Pinocchio. Er richtete sich mühsam auf, vor seinen Augen drehte sich alles wie ein Karussell. »Wo bin ich denn hier?«

»Wir sind im Bauch des größten Tieres der Meere«, sagte der Thunfisch. »Der Wal Monstro hat uns verschluckt.«

»Oh weh, oh weh!«, jammerte Pinocchio. »Und wie kommen wir hier wieder raus?«

»Wer von einem Wal verschluckt wird, der sieht das Meer niemals wieder«, versicherte der Fisch. »Aber mir ist es lieber, ich werde von einem Wal verschluckt als von Menschen in Öl gelegt.«

»Das Meer will ich gar nicht mehr sehen, ich will endlich wieder ans Land kommen«, jammerte Pinocchio weiter. »Ich will nach Hause. Zu meinem Vater. Ich möchte doch so gerne ein richtiger Mensch werden.«

»Was willst du werden? Ein Mensch? Wirklich ein Mensch?« Der Thunfisch schüttelte sich.

Pinocchio hob die Hand: »Was auch kommt, ich schwöre dir niemals Thunfisch in Öl zu essen.«

»Danke!«, antwortete der Thunfisch »Aber deinen Vater wirst du nicht wieder sehen. Schlag dir diesen Gedanken aus dem Kopf!«

Pinocchio hockte neben dem Thunfisch und schluchzte still vor sich hin.

»Ist der Wal sehr groß?«, fragte er und wischte sich Tränen aus den Augen.

»Einen Kilometer lang«, erklärte der Thunfisch. »Wir liegen hier erst am Anfang des Bauches.« Er zeigte in den dunklen Abgrund hinein. »Das Ende kannst du nicht sehen.«

In der Ferne entdeckte Pinocchio ein schwaches Licht. »Was kann das sein?«, fragte er den Thunfisch.

»Wahrscheinlich ein Leidensgefährte von uns, auch einer, den Monstro verschluckt hat«, vermutete der Thunfisch.

»Kann Monstro auch Menschen verschlucken?«

»Nicht nur Menschen, ganze Schiffe und ihre Besatzung finden Platz im Bauch des Wales.«

Pinocchio wurde unheimlich zu Mute. »Und du glaubst wirklich, dass es keine Rettung für uns gibt?«

»So ist es«, murmelte der Thunfisch. Er schaute sich Pinocchio von oben bis unten an. »Aber vielleicht ist das bei dir etwas anderes.«

»Wie meinst du das?«

»Es sieht so aus, als seist du aus Holz gemacht.«

»Ja, vom Kopf bis zu den Füßen«, nickte Pinocchio.

»Holz mag Monstro nicht besonders gerne«, meinte der Thunfisch, der Pinocchio Mut machen wollte. »Manchmal spuckt er
ganze Bretter aus.«

Pinocchio schöpfte Hoffnung. »Du meinst, er könnte mich aus-
spucken?«

»Vielleicht, wenn du sehr viel Glück hast.«

Pinocchio starrte auf das Licht im Inneren des dunklen Gan-
ges. »Ich werde dem Licht folgen, vielleicht ist dort jemand,
der mir einen Weg nach draußen zeigen kann.«

Pinocchio stand auf und strich dem Thunfisch über den Kopf.
»Ich werde dich nicht vergessen. Du bist mein Freund geworden. Ich wünschte, wir könnten zusammen fliehen.«

»Leb wohl, mein Freund«, sagte der Thunfisch und schaute Pinocchio mit großen Augen traurig an.

Im Bauch des Wals geschehen Wunder

inocchio ging mutig den dunklen Gang entlang. Er trat in tiefe Pfützen, stolperte über Bretter und kam nur mühsam vorwärts. Fast bereute er schon seinen Freund, den Thunfisch, verlassen zu haben, aber irgendeine Hoffnung trieb ihn tiefer in den Bauch des Wals hinein. Das Licht kam näher und näher und dann erkannte Pinocchio einen aus Brettern gezimmerten Tisch mit einer Kerze darauf.

Er blieb vor Verwunderung stehen und rieb sich die Augen. An dem Tisch saß ein alter Mann mit gesenktem Kopf. Seine struppigen Haare und der ellenlange Bart glänzten im matten Schein der Kerze schlohweiß. Der Mann hatte wohl ein Geräusch gehört und hob den Kopf. Das war doch nicht möglich! Das konnte nicht wahr sein! Pinocchio stieß einen Schrei aus, stammelte wirre Worte, wollte weinen oder lachen . . . Dann breitete er die Arme aus und flog dem Alten um den Hals. »Vater, Vater! Endlich habe ich dich wieder!«

Geppetto strich sich die Haare aus der Stirn und rieb sich die Augen. »Träume ich? Oder bist du's wirklich, Pinocchio?«

»Ich bin's, Vater, und jetzt werde ich dich nie wieder verlassen.«

Geppetto stand auf, drückte den Holzbuben an sich und weinte vor Freude.

Pinocchio schlang die Arme um den Hals des Vaters und sagte:

»Ich sehe, du hast mir verziehen. Wie gut du bist, Vater! Aber du ahnst nicht, was ich alles erlebt habe. Ein Unglück nach dem anderen. Ich habe nicht mehr daran geglaubt, dich jemals wieder zu sehen. Erst recht nicht, nachdem mich der Wal verschluckt hat.«

»Ich hatte längst alle Hoffnung auf ein Wiedersehen aufgegeben«, sagte Geppetto und strich sich mit dem Arm die Tränen aus dem Gesicht.

»Wie bist du hierher gekommen?«, fragte Pinocchio.

»Ich habe dich überall gesucht, und als ich dich nicht fand, bin ich mit dem Boot aufs Meer hinausgefahren. Als mein Boot von einer Riesenwelle erfasst wurde und kenterte, sah ich das schreckliche Maul des Wales vor mir. Er verschluckte mich und ich kam erst wieder zur Besinnung, als ich schon tief in seinem riesigen Magen lag.«

»Und wie lange bist du schon hier?«

»Schon sehr lange. Monate, Jahre . . . Ich weiß es nicht«, stöhnte Geppetto.

Pinocchio konnte es nicht fassen. »Aber wie kommt es, dass du überlebt hast?«

»Das ist wie ein Wunder«, sagte Geppetto. »Monstro hat ein Handelsschiff verschluckt. Die Mannschaft wurde gerettet, aber alles, was in dem Schiff lagerte, landete hier im Bauch des gewaltigen Tieres. Es gab nicht nur genügend zu essen, sondern auch Streichhölzer in Dosen und Kerzen in großer Menge. So hatte ich immer ein kleines Licht in der Dunkelheit.«

Pinocchio staunte. »Ohne das Licht hätte ich dich nicht gefunden.«

»Seltsam, sehr seltsam!« Geppetto zögerte. »Ich muss dir etwas Schlimmes sagen, mein Sohn. Es ist die letzte Kerze, die

ich angezündet habe. Wenn sie verlöscht, wird tiefe Dunkelheit um uns sein. Und das ist das Ende.«

Pinocchio sprang auf. »Wenn das so ist, müssen wir sofort fliehen, Vater.«

»Ja, versuche alles, um hier herauszukommen. Aber allein. Ich kann es nicht schaffen, weil ich im offenen Meer sofort verloren wäre. Du musst wissen, dass ich nicht schwimmen kann.«

»Nein, Vater, ich verlasse dich nicht«, schwor Pinocchio. »Wir bleiben zusammen, was auch kommt.«

Pinocchio war wild entschlossen einen Weg nach draußen zu suchen. Er machte sich auf, um den Schlund des gewaltigen Tieres zu erkunden.

»Leb wohl, Pinocchio! Rette dich, wenn du kannst!«, sagte Geppetto und nahm seinen Sohn in den Arm. »Vergiss mich, wenn du einen Fluchtweg findest! Ich bin ein alter Mann und habe nur noch den Wunsch, dass du lebend das Land erreichst.«

Geppetto griff nach der letzten Kerze und reichte sie seinem Sohn. »Du brauchst das Licht, um den Weg zu finden.«

Pinocchio nahm die Kerze, verließ seinen Vater und drehte sich nicht mehr um.

Geppetto sah das Licht, das Pinocchio trug, immer kleiner werden, dann hüllte ihn tiefe Dunkelheit ein.

Wenn Wünsche wahr werden . . .

s mochten Stunden vergangen sein. Geppetto hatte seinen Kopf auf den Tisch gelegt und wartete auf den Tod. Plötzlich hörte er eine Stimme: »Vater, steh auf, komm mit!«

Es war die Stimme Pinocchios, seines kleinen Sohnes.

Ein wunderschöner Traum, dachte Geppetto, aber er träumte nicht. Vor ihm stand Pinocchio.

»Vater, wach auf, mach die Augen auf! Ich bin's, Pinocchio.«

Das Holzbübchen hob den Kopf des Vaters und leuchtete ihm mit der Kerze ins Gesicht. Der Alte erschrak.

»Oh weh, Pinocchio, ich muss sehen, dass du die Flucht nicht geschafft hast. Wenn Wünsche helfen könnten, dann wärst du längst zu Hause. Aber Wünsche helfen wohl nicht immer«, jammerte der Alte.

Pinocchio fasste den Vater am Arm. »Komm mit! Wir müssen uns beeilen.«

Geppetto wusste nicht, wie ihm geschah, er stolperte an Pinocchios Hand vorwärts, immer weiter vorwärts durch den Bauch des Wals bis in den Schlund. Hier blieb Pinocchio stehen: »Wir können es schaffen, Vater. Lass dich einfach von mir führen!«

»Was hast du vor, Pinocchio?«, fragte Geppetto.

»Ich habe den ganzen Schlund des Tieres ausgekundschaftet. Der Wal ist schon sehr alt. Er schläft nachts mit offenem

Maul, weil er schlecht Luft bekommt. Und ich habe entdeckt, dass in der unteren Zahnreihe eine Lücke ist. Wenn wir uns vorsichtig in das Maul schleichen, kann unsere Flucht gelingen. Halt dich nur immer an mir fest, Vater!«

»Junge«, sagte Geppetto, »du weißt doch . . .?«

»Dass du nicht schwimmen kannst, ja, Vater, das weiß ich.«

Pinocchio schlich mit dem Vater bis in das vordere Teil des Maules. Die letzte Kerze war heruntergebrannt, als sie durch das Maul des Wales in einen herrlichen Sternenhimmel sahen.

Der Holzbube hörte plötzlich eine Stimme aus der dunkelsten Ecke des Maules: »Pinocchio, du bist es! Wie schön, dich wieder zu sehen.«

Pinocchio hätte fast einen Freudenschrei ausgestoßen, aber er durfte auf keinen Fall den Wal in seiner Nachtruhe stören. Deshalb winkte er den Thunfisch zu sich heran und sagte leise: »Komm mit! Wir fliehen.«

»Oh, Pinocchio, wenn das gelingen würde!«, flüsterte der Thunfisch. «Aber sag mir, was du vorhast!«

»Ich habe alles ausgekundschaftet. Folge mir einfach durch die Zahnlücke des Wals! Aber leise! Monstro schläft, und wenn er aufwacht, sind wir verloren.«

Auf Zehenspitzen überstiegen Pinocchio und Geppetto die gewaltige Zahnreihe des Wals. Sie hörten das Furcht erregende Schnarchen des Tieres. Geppetto zögerte, denn das Schnarchen wurde leiser und das Maul begann sich zu schließen, ein Zeichen, dass Monstro erwachte. Pinocchio zog den Vater weiter und im letzten Augenblick schwamm er mit Geppetto auf dem Rücken durch die Zahnlücke ins freie Meer. Über dem ruhigen, spiegelglatten Wasser leuchteten hell der Mond und die Sterne.

»Gerettet!«, schrie Pinocchio und schwamm mit dem Vater der

Küste entgegen. Der Alte zitterte vor Kälte und Angst. »Wo ist das Ufer ? Ich sehe es nicht.«

»Aber ich«, sagte Pinocchio. »Ich habe Augen wie eine Katze. Vertraue mir nur!«

Pinocchio schaute sich um. Wo war der Thunfisch? Weit und breit war nichts zu sehen. Ob Monstro sein Maul geschlossen hatte, ehe der Thunfisch durchgeschlüpft war? Pinocchio konnte nicht weiter darüber nachdenken. Er schwamm und schwamm und die Last auf seinem Rücken wurde immer schwerer.

Geppetto rief: »Mein Sohn, schwimm allein ans Land! Zusammen schaffen wir es nicht. Leb wohl, Pinocchio!«

Geppetto wollte den Holzbuben gerade loslassen, da schrie Pinocchio: »Nein, Vater, halt dich fest! Wenn ich es nicht schaffe, dann ertrinken wir zusammen.«

»Keiner wird hier ertrinken«, hörte Pinocchio eine Stimme. »Steigt beide auf meinen Rücken, ich schwimme mit euch an den Strand.«

Die Stimme gehörte keinem anderen als dem Thunfisch. Er war zusammen mit Pinocchio und Geppetto durch die Zahnlücke des Wals geschwommen, ohne dass die beiden ihn in der Dunkelheit bemerkt hatten.

»Du bist unsere Rettung«, flüsterte Pinocchio, »ich habe fast keine Kraft mehr.«

Vater und Sohn stiegen auf den Rücken des Thunfisches, der groß und stark war. Er trug sie weit durch das Meer bis in die Nähe der Küste.

»Hab Dank! Ich werde dich nie vergessen«, rief Pinocchio, ehe der Thunfisch ins offene Meer zurückschwamm.

Pinocchio musste noch einmal alle Kraft aufbieten, um mit der Last auf seinem Rücken den rettenden Strand zu erreichen.

Auch Geppetto war völlig erschöpft. Er sah und hörte nichts mehr und fiel am Strand sofort in einen tiefen Schlaf.

Als Geppetto erwachte, lag noch die Dämmerung über dem Meer. Er richtete sich auf und schaute sich ängstlich um. »Pinocchio, wo bist du?«

Es kam keine Antwort, so laut Geppetto auch rief. Pinocchio war weit und breit nicht zu sehen. Der Alte stand auf, schleppte sich mühsam vorwärts, um seinen Sohn zu suchen. Immer wieder rief er: »Pinocchio, mein Sohn, wo bist du?«

Geppetto war verzweifelt. Wo war Pinocchio geblieben, als er den Strand erreicht hatte? Der Alte versuchte sich zu erinnern, aber er konnte es nicht. Die Erschöpfung war zu groß gewesen. Hatte vielleicht wieder ein Meeresungeheuer den Holzbuben verschluckt? Die Angst trieb den Alten weiter. Er suchte den langen Strand ab und stieg mit letzter Kraft auf die Klippen. Auf der höchsten Stelle über dem Meer fand er seinen Sohn. Pinocchio lag kalt und steif auf dem Felsen, er war ein gewöhnlicher Holzbube geworden, der weder sprechen noch sich bewegen konnte. Geppetto hockte sich neben seinen Sohn und weinte bitterlich. Die Zeit verging und der Alte merkte nicht, dass es um ihn herum immer heller wurde. Er sah nicht die Sonne, die aus dem Meer stieg und ihre ersten Strahlen auf die Klippen warf. Und er sah auch nicht, dass Pinocchio plötzlich die Arme hob und aufstand.

»Vater!«, rief er. »Vater, ich bin wach geworden.«

Geppetto nahm die Hände vom Gesicht. »Pinocchio, du lebst?«

»Ja, Vater, ich lebe.«

Der Alte weinte und lachte und stammelte immer wieder: »Mein lieber Sohn, mein liebes Holzbübchen . . .«

»Vater, schau mich doch mal richtig an!«, sagte Pinocchio lachend.

Geppetto riss die müden Augen auf. Träumte er oder war es Wirklichkeit? Vor ihm stand kein Holzbube, sondern ein Mensch aus Fleisch und Blut.

»Pinocchio!«, rief der Alte und nahm seinen Sohn in den Arm. »Endlich ist dein Wunsch in Erfüllung gegangen.«

»Ja, Vater«, sagte Pinocchio glücklich, »endlich, endlich bin ich ein richtiger Junge.«